Ich bin glücklich!

Texte von Franz Hübner
Bilder von Eugen Stross

Magdalenen-Verlag

Einleitung

Im Laufe unseres Lebens sind wir seit dem Augenblick unserer Geburt mit Informationen versorgt, manchmal regelrecht überhäuft worden. Viele dieser Informationen waren hervorragend und geeignet, uns auf dem besten Weg zu führen. Viele waren - für den Einzelnen - völlig ungeeignet. So waren auch manche gut gemeinten Erziehungs- oder Moralprogramme einfach falsch. Aber wir haben sie trotzdem gespeichert, wie ein riesiger Computer.
Heute liegt es an uns, unserem Leben seine Richtung zu geben, die falschen Programmierungen zu löschen und durch neue zu ersetzen. Wir haben die Freiheit, uns für positive Ziele zu entscheiden - für Glück, Gesundheit, für ein liebevolles, harmonisches Miteinander, für Lebensfreude ...

Was aber, wenn wir dies nicht gelernt haben oder wenn wir Vorbehalte gegenüber diesen positiven Zielen "einprogrammiert" haben?
Hier "greifen" die Affirmationen. Sie motivieren uns sozusagen, das gewünschte Ziel zu erreichen.
Affirmationen sind einfache Sätze, die wir uns sinnvollerweise mehrmals am Tage gedanklich vor Augen halten.
Die ständigen Wiederholungen dieser positiven

Sätze prägen sich in unserem Bewusstsein ein, und helfen uns dabei, uns von den einschränkenden negativen Bestimmungen zu lösen und uns auf die neuen, positiven Ziele auszurichten.

Affirmationen sind also kraftvolle Helfer auf dem Weg zu einem erfüllteren, glücklicheren Leben. - Auf dem Weg zu Ihren neuen Zielen.

Nutzen Sie diese einfache Möglichkeit, sich selbst auf all das Gute auszurichten, das in Ihnen noch verborgen ist, das Ihr Leben für Sie bereithält. Schritt für Schritt werden Sie feststellen, wie Sie es selbst in der Hand haben, Ihre Gedanken, ja sogar die Umstände ihres Lebens zu erhellen, zu verbessern.

Üben Sie mit "ihren" Affirmationen Tag für Tag, wo und wann Sie wollen, immer wieder, und Sie können erstaunliche Veränderungen feststellen. Glauben Sie an sich, an die Kraft Ihrer Gedanken und Einstellungen!

Ich wünsche Ihnen viel Freude auf Ihrem Weg und bin mir sicher, was Sie sich vorgenommen haben, gelingt ihnen Tag für Tag besser.

Ihr Franz Hübner

Stück
für Stück
schaffen meine
Gedanken
mein neues
Glück

Ich bin es wert,
geliebt zu werden.
Ich bin es wert,
zu lieben.
Ich bin es wert,
glücklich zu sein.

Ich glaube fest daran,
dass ich es wert bin,
glücklich zu sein.
Deswegen richte
ich meine
Aufmerksamkeit
auf das Gute in mir
und um mich herum.

Ich öffne jeden Tag
aufs Neue die Tür
meines Herzens,
lache mich und mein
Leben an und begrüße
mein Glück.

Ich sage mir
jeden Tag:
"Ich bin es wert,
glücklich
zu sein!"

Ich weiß, dass ich
in der Lage bin,
mich zu verbessern.
Aber ich weiß auch,
dass es die Basis
meines Glücks ist,
mit mir zufrieden zu sein.

Ich bin
jetzt bereit,
mein Glück
in Empfang
zu nehmen
und es mit
anderen
zu teilen.

Voller Freude und
Leichtigkeit
lasse ich allen
Druck und Zwang
los und bin frei,
ein gesundes und
glückliches Leben
zu führen.

Für den einen ist Glück
die Ruhe an den
Ufern des Ozeans,
für den anderen ist Glück
die Freude einer
Geburtstagsfeier.
Für mich ist Glück,
in der Vielfalt des
Lebens das zu finden,
was ich mir - tief in meinem
Herzen - gewünscht habe.

Ich bin der Baumeister
meines Lebens.
Und ich erschaffe mir eine
glückliche Zukunft:
Voller Freude, Lachen und
Sonnenschein im Herzen.

Schau nicht zurück,
sieh' lieber
heute dein Glück!

Glück ist es oftmals,
in schwierigen
Situationen
innezuhalten und
eine neue Perspektive
zu finden.

Eine glückliche Wendung
nimmt das Schicksal
immer dann,
wenn es "zum Besten"
für alle Beteiligten ist.
Ich bitte um das Beste
für mich und alle
Beteiligten und vertraue
auf mein Glück.

Ich nehme jetzt all
das in Anspruch,
was schon lange
auf mich wartet:
das Geschenk eines
glücklichen,
zufriedenen Lebens.

Ich bin
ein Zentrum
der Liebe,
der Freude und
des Glücks

Ich bin jetzt bereit,
mich von dem
Bedürfnis zu lösen,
"das Opfer"
im Leben zu sein.

Glück ist die
Dankbarkeit
und Freude
über die
unerwartete Hilfe
"von oben".

Ich bin dankbar
für die "kleinen
glücklichen Momente"
in meinem Leben.

Alles, was ich
mir wünsche,
wartet bereits
darauf
in mein Leben
zu treten.

Mit etwas Zuversicht,
Geduld und Glück
lösen sich manche
Probleme fast
"wie von selbst".